D0588921

DÉCOUVREZ
LA FAÇON
DE TRANSFORMER
L'ACTIVITÉ
EN ÉNERGIE

Cet ouvrage a été publié sous le titre original:

DISCOVER HOW YOU CAN
TURN ACTIVITY INTO ENERGY

Original English Language Edition published by:
Harvest House Publishers, Irvine, California 92714
Copyright ©, 1978 by Robert H. Schuller
All rights reserved

Copyright ©, 1981 par:
Les Éditions «Un Monde Différent» Ltée
Pour l'édition en langue française
Dépôts légaux 1er trimestre 1981
Bibliothèque nationale du Québec
Bibliothèque nationale du Canada

Conception graphique de la couverture:
PHILIPPE BOUVRY

Traduit de l'anglais par:
GILLES NORMANDEAU

ISBN: 2-920000-50-0

Robert H. Schuller

Découvrez la façon de transformer l'activité en énergie

Les Éditions «Un Monde Différent» Ltée
1875 Panama, Local B
Brossard, Québec, Canada
J4W 2S8

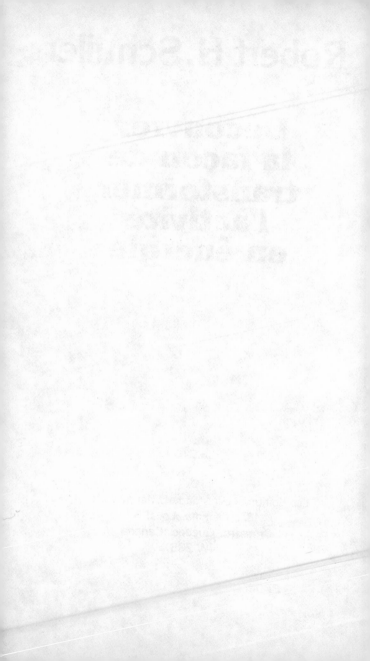

Table des matières

I

Recyclez
votre énergie

La Bible contient de nombreux passages qui montrent que la relation d'un être humain avec Dieu influe grandement sur son taux d'énergie. Le prophète Isaïe a écrit:

Mais ceux qui espèrent en Yahvé renouvellent leurs forces. Il leur vient des ailes comme aux aigles. Ils courent sans lassitude et marchent sans fatigue. (Is 40;31)

Saint Paul écrivit aux habitants d'Ephèse qu'il priait Dieu pour eux afin:

Qu'Il daigne, selon la richesse de sa gloire, vous armer de puissance par son Esprit pour que se fortifie en vous l'homme intérieur. (Ep 3;16)

Emerson a écrit que *le monde appartient aux énergiques.* Et Sir Thomas Buxton appuie cette affirmation par la déclaration suivante: «Plus j'avance dans la vie, plus je suis convaincu que ce qui fait la différence entre un homme et un autre, entre l'homme remarquable et l'homme sans importance, c'est l'énergie, cette invincible détermination qui fait que rien ne peut faire dévier une personne du but qu'elle s'est fixé. C'est cette énergie qui permet à l'homme de faire la volonté de Dieu ici-bas, et sans laquelle il ne peut réaliser sa vocation d'homme quels que soient son talent, sa formation, ses chances de réussite et les circonstances qui le favorisent.»

Évidemment, les gens n'ont pas tous la même dose d'énergie. On peut chercher à connaître la cause de cette différence et se demander s'il est possible pour une personne d'augmenter sa puissance énergétique.

Voici quelques principes qui vous permettront de recycler votre énergie et qui vous éviteront toute fatigue à l'avenir. La pure vérité, c'est que le dur labeur n'engendre pas la fatigue et que le vrai repos n'enlève pas la fatigue. Des études psychologiques révèlent que les neuf dixièmes de la fatigue ressentie par les gens sédentaires est de nature psychologique et émotionnelle. Ce qui veut dire qu'elle est aussi de nature théologique puisque psychologie et théologie ne peuvent être dissociées. Impossible en effet de diviser l'âme humaine en sections et de dire: «Cette section est celle du cerveau, celle-là est celle des émotions, cette autre est celle de l'âme et cette dernière est celle de l'esprit qui doit être guéri par des soins psychiatriques.» L'être humain forme un tout et vouloir le guérir partie par partie est impensable. Donc, s'il a un problème psychologique, il a par le fait même un problème théologique.

J'ai toujours eu beaucoup d'énergie, Dieu merci! Je ne pense pas cependant que ce soit là un héritage génétique. Mais je témoigne simplement que c'est ...*en elle* (c'est-à-dire la Divinité) *que nous avons la vie* (autrement dit: que nous sommes vraiment vivants), *le mouvement* (le paresseux est toujours assis ou couché ou bien il se traîne les pieds), et *l'être* (Ac 17;28). La vérité est que Dieu est la source cosmique de toute énergie spirituelle. Ainsi, en étant près de *lui* et en accord avec *lui*, nous puisons l'énergie à sa source.

Avant de continuer, voici un message bien simple: certaines personnes sont fatiguées parce qu'elles craignent d'être fatiguées. Craignant d'être fatiguées, elles ménagent leur énergie au lieu de la dépenser et ce faisant, elles sont toujours fatiguées. Si vous manquez d'énergie, le meilleur moyen d'en avoir, c'est d'en dépenser. Lorsque je me suis éveillé ce matin, il faisait encore noir. Je n'avais aucune idée de l'heure qu'il pouvait être. Soudain l'horloge a sonné et c'est ainsi que j'ai su qu'il était cinq heures. «Je suis encore fatigué, pensai-je. Je suis encore fatigué, mais je sais que je ne me rendormirai pas.» (Quelle pensée négative! Si vous pensez être incapable de vous rendormir, évidemment vous n'y arriverez jamais!) Après quelques minutes d'hésitation, j'eus l'inspiration suivante: «Si je veux avoir de l'énergie, il ne faut pas que je reste une minute de plus dans mon lit. Je vais me lever, enfiler mon costume de jogging et aller courir.»

Bien sûr, j'étais trop fatigué pour courir, ce qui prouve qu'il fallait que j'y aille. Je sortis donc du lit, j'enfilai mon costume de course et je m'engageai dans les collines. Tout alla bien jusqu'au moment où je m'égarai tellement il faisait noir, ce qui ne m'était jamais arrivé auparavant.

Mais je continuai de courir jusqu'à ce que, arrivé à un cul-de-sac, je fusse obligé de revenir sur mes pas. Déjà il commençait à faire plus clair et je reconnus quelques paysages familiers. Peu de temps après, je me retrouvai devant chez moi, soit soixante-cinq minutes après le début de ma course ininterrompue. Quand j'entrai sous la douche, mon sang était à fleur de peau. Jamais je ne m'étais senti aussi énergique. Pour avoir cette énergie, j'en avais dépensé. Vous aussi, vous êtes rempli d'énergie; tout ce que vous devez faire, c'est amorcer la pompe!

RECYCLEZ VOTRE ÉNERGIE

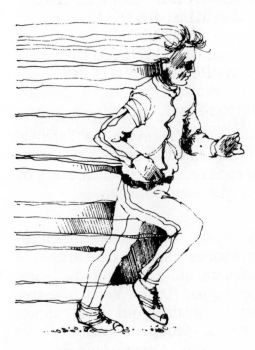

Bref: VOUS RECEVEZ DANS LA MESURE OÙ VOUS DONNEZ! Ou: UN CADEAU EN APPELLE UN AUTRE!

Ces principes sont universels: si vous voulez recevoir de l'amour, vous devez en donner. Et l'amour que vous recevez est à la mesure de celui que vous donnez.

Si vous avez des difficultés pécuniaires, donnez de l'argent à quelqu'un qui accomplit de belles choses pour Dieu. Vous sèmerez ainsi des graines qui vous rapporteront beaucoup de fruits. *De la mesure dont vous mesurez on usera pour vous.* (Mt 7;2)

Ce qui est vrai pour l'amour l'est aussi pour l'argent, pour le travail et pour l'énergie. Un cadeau en attire un autre: c'est ce que j'appelle l'énergie recyclée.

II

L'énergie,
une affaire d'attitude

Il y a plusieurs années de cela, je me rendis à Miami, en Floride, afin de m'adresser à l'auditoire d'un important congrès. L'un des plus puissants sénateurs des États-Unis avait été invité à prononcer une importante allocution avant moi. Tout le monde présent à ce congrès avait reconnu son nom tellement cet homme est populaire. J'arrivai un peu en avance afin d'entendre sa causerie à la fin de laquelle j'allai le remercier de nous avoir dit de si belles choses.

L'énergie de cet homme a créé chez moi une grande impression. Il avait alors soixante ans et venait à peine d'apprendre qu'il était atteint du cancer. Malgré cela, il remplit la scène de son énergie et parla énergiquement durant cinquante-cinq minutes.

Comme je venais de le remercier de nous avoir adressé la parole, il me prit le bras et m'avoua, les yeux humides de larmes: «Vous ne saurez jamais ce que nous apporte, à moi et aux autres à Washington, votre émission *Hour of Power*.»

Cette remarque me fit grand plaisir.

Tout en lui parlant, je compris que l'énergie n'est pas une question d'âge mais une question d'attitude. Elle n'est pas non plus reliée à l'état de santé général, parce que je connais des gens qui possèdent une énergie inépuisable malgré qu'ils aient subi une opération majeure reliée au cancer et qu'ils continuent de livrer un combat quotidien à cette maladie. Quel est leur secret? Leur attitude! Et le secret de cette attitude se trouve dans cette citation:

Car c'est en Lui que nous avons la vie, le mouvement et l'être. (Actes 17;28.)

Avez-vous besoin d'énergie? Dépensez-en et vous en aurez. Si vous dépensez de l'énergie, il vous en reviendra plus que vous en aurez dépensé. Et c'est vrai, croyez-moi!

Cette vérité du plan organique existe aussi au plan spirituel. Si vous manquez d'énergie, vous manquez peut-être de foi en Dieu. En vous rapprochant de Dieu, vous recommencerez à rêver et à entreprendre de grandes choses. Celui qui aime Dieu et fait *sa* volonté est rempli d'énergie. *Dieu est là qui opère en vous à la fois le vouloir et l'opération même, au profit de ses bienveillants desseins.* (Ph 2;13)

Si vous n'avez pas assez d'énergie au travail, par exemple, il se peut que vous n'y donniez pas assez de vous-même. Si vous arrivez le plus tard possible et partez le plus tôt possible, et si vous en faites le moins possible, ne soyez pas étonné de manquer d'enthousiasme. Or, *enthousiasme est synonyme d'énergie*. De plus, la racine du mot enthousiasme est *en-theos*, ce qui veut dire en Dieu.

Vendredi est-il le meilleur jour de votre semaine? Êtes-vous de ceux qui ressentent un peu d'énergie le vendredi soir, davantage le samedi et encore plus le samedi soir? Et qui, après avoir passé un bon dimanche, se lèvent fatigués le lundi matin parce qu'ils doivent aller travailler?

Car c'est en Lui que nous avons la vie, le mouvement et l'être. Cela veut dire que vous devez mettre le Christ dans votre vie et l'amener au travail avec vous afin de transformer votre travail en ministère.

Avez-vous besoin de plus d'énergie? Voulez-vous recycler votre énergie? Dépensez-la, elle vous reviendra. Assurez-vous d'abord que vous êtes en contact étroit avec Dieu.

Y a-t-il en vous un péché secret, non avoué? Si oui, votre sentiment de culpabilité bloque la circulation de la vraie puissance et de l'énergie.

En électricité, le courant passe seulement si le pôle positif et le pôle négatif sont branchés. Il en va de même dans le monde spirituel. Si vous voulez avoir une énergie dynamique, vous devez faire la volonté de Dieu, vos pôles positif et négatif doivent être branchés. Ce qui signifie que vous devez avoir le courage de dire «non» au mal.

Récemment, j'ai été invité à assister à une réunion de conseil d'une compagnie dont je ne suis pas membre. Le groupe comprenait deux importants agents immobiliers, un propriétaire et l'avocat de ce dernier. Ça ne faisait pas trois minutes que j'étais arrivé quand l'avocat se mit dans tous ses états. Ce qui me secoua net. Je savais que si je restais dans cette ambiance de tension et de négativisme, je serais fatigué dans dix minutes, et je ne voulais pas gaspiller mon énergie. J'ai donc pris la parole pour dire ceci: «Dès que vous pourrez vous exprimer en termes positifs, avec enthousiasme et un esprit calme et réfléchi, je reviendrai avec plaisir me joindre à vous.» Ensuite, je sortis rapidement de la pièce. Je pouvais d'ailleurs sentir la fatigue flotter dans l'air à cause des vibrations négatives émises par cet avocat à l'humeur hargneuse.

Je revins dans la salle une minute plus tard et je trouvai l'avocat en pleine tempête et sur le point de sortir. (Un miracle!) Mais à peine était-il sorti que la querelle reprenait. J'émis alors une idée positive à laquelle je souhaitais qu'on adhère, et c'est ce qui se produisit. Ils se mirent tous d'accord pour parler du projet qui les avait réunis. Cette discussion les amena vite à exprimer leurs rêves et ensuite à en être tout excités et tout enthousiasmés. L'énergie était de retour dans la pièce et quel changement cela faisait!

Voulez-vous de l'énergie? Le courant, pour passer, a besoin d'un pôle positif et d'un pôle négatif. Le pôle négatif, c'est le retrait de tout ce qui engendre l'anxiété, la peur, la haine ou la culpabilité. Le pôle positif, c'est l'attrait vers tout ce qui donne la force de rêver et de

s'impliquer dans des projets excitants.

Certaines gens dépensent énormément d'énergie en résistant à l'Esprit-Saint qui essaie d'entrer dans leur vie. Et qu'arrive-t-il alors? *Dieu ne vient pas les revivifier et ils continuent d'être fatigués.* C'est aussi simple que cela.

Ce que nous avons dit jusqu'à maintenant peut être résumé comme ceci:

L'ACTIVITÉ DÉBORDANTE
ne vient pas
D'UNE GRANDE ÉNERGIE;
L'ACTIVITÉ DÉBORDANTE
engendre
UNE GRANDE ÉNERGIE.

Un cadeau en attire un autre. Vous recevrez ce que vous aurez donné. Si vous voulez recevoir l'énergie divine, donnez votre vie à Dieu et à Jésus-Christ. Dès qu'ils entreront dans votre vie, vous pourrez alors vous abreuver à la source cosmique d'énergie infinie et illimitée qui coulera en vous, tant et aussi longtemps que vous travaillerez pour *eux*.

III

Plus d'énergie
pour une
meilleure vie

Il ne fait aucun doute que la qualité de votre relation avec Dieu est un des facteurs déterminants de votre taux personnel d'énergie.

Il y a quelque temps de cela, Don Sutton, l'as lanceur des Dodgers de Los Angeles, vint nous voir et il nous confia alors que chaque sportif professionnel cherchait à surpasser tous les autres. «Parce que, disait-il, pour devenir une grande étoile, il suffit d'être un peu meilleur que les autres. C'est pas plus compliqué que cela. Quant à moi, c'est Jésus-Christ qui fait de moi un joueur gagnant!» Ce témoignage est facile à croire car Dieu est un vrai générateur d'énergie.

Saint Paul lui-même enseigne cela en affirmant que *Je puis tout en Celui qui me rend fort.* (Ph 4;13.) *Car c'est en Lui que nous avons la vie, le mouvement et l'être.* (Ac 17;28.) *Yahvé est ma force et mon chant, à lui je dois ma délivrance.* (Ex 15;2.)

L'énergie physique, bien sûr, est affaire d'exercice, de conditionnement physique et de saine alimentation. Mais à l'exercice physique, il faut ajouter l'exercice spirituel. Parce que si quelqu'un est en bonne santé physique, c'est que tout son être est en santé. On voit donc que la relation d'une personne

avec Dieu a une influence sur son niveau d'énergie. Pour un sportif ou pour toute autre personne, c'est cette relation qui fait toute la différence.

Voici l'explication de ce phénomène. Si vous êtes relié à Dieu, il vous arrive constamment des choses excitantes, vous êtes comme un mouvement perpétuel et ce mouvement, c'est de l'énergie dynamique et naturelle. Alors, vous me dites: «Très bien, Docteur Schuller, mais que faites-vous des problèmes?» Ah! mais les problèmes, c'est de la stimulation pure!

La pensée créatrice n'est pas une philosophie facile et enfantine qui ignore la réalité des problèmes. Au contraire, elle affirme que chaque problème est chargé de possibilités. Moi, les problèmes me stimulent. Comme ma vie serait terne et ennuyante si je n'avais pas de problèmes!

Lors d'un banquet, tenu récemment dans un hôtel d'ici, j'avouai à des amis: «Je suis très content aujourd'hui parce que je fais face au plus grand problème que j'aie jamais eu durant mon ministère, et cela me stimule beaucoup. Mon problème, c'est que notre sanctuaire est devenu tellement petit que des gens doivent rester debout dans les allées et en arrière. Et cela à chaque dimanche. Nous avons vraiment un problème d'espace. Mais, croyez-le ou non, ce problème m'enchante car, pour moi, *un problème est une chance en soi.* Je crois que chaque problème nous force à penser plus grand et à agir en conséquence. Je pense qu'on ne sortirait jamais de notre petit monde si Dieu ne nous y forçait pas.»

Robert Ardrey affirme: «Chaque être humain éprouve trois besoins profonds: le besoin d'identité, le besoin de sécurité et le besoin de stimulation.» Or, ces trois éléments entrent souvent en conflit les uns avec les autres. Si je demandais à un groupe de gens lequel, parmi ces trois besoins, est le plus important pour eux, la plupart d'entre eux me répondraient *la sécurité*. En d'autre mots, les gens veulent être sûrs qu'ils possèdent la sécurité, tant matérielle qu'émotive, dans leur vie professionnelle et financière et dans leur vie affective. La sécurité, c'est ce que les gens recherchent avant tout.

Mais voilà la nature du problème: le chemin qui est marqué *Sécurité* est un cul-de-sac au bout duquel se dresse une affiche marquée *Ennui*. Quand vous atteignez l'ultime sécurité, c'est du même

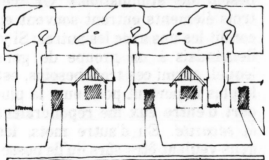

coup l'ennui total. Le meilleur moyen d'échapper à l'ennui, c'est de tenter une aventure, d'escalader une montagne, de prendre un risque.

J'ai découvert au cours de ma vie que la pensée créatrice me donne de l'énergie. Pourquoi? Parce qu'elle m'éloigne du chemin de la sécurité et m'engage sur celui de la stimulation.

Permettez-moi de décrire, de façon pittoresque, le plus gros problème de ma vie. Lorsque vint le moment, pour ma femme et moi, d'ouvrir notre église il y a vingt ans de cela, nous rêvions d'avoir 6 000 membres. Nous pensions qu'il nous faudrait autant de gens que cela pour réaliser notre programme et pour répondre aux besoins de tous les gens qui souffrent ici. Nous pensions à tout ce que nous voulions faire: l'école du dimanche, les visites aux malades dans les hôpitaux et le service de conseil téléphonique fonctionnant vingt-quatre heures sur vingt-quatre. Nous avions estimé à quarante le nombre d'années qu'il nous faudrait pour réaliser notre rêve. Pour y arriver, nous avions projeté d'amener 150 nouveaux membres chez nous chaque année. Quarante ans plus tard - j'aurais alors 68 ans - nous aurions nos 6 000 membres. Il ne nous resterait plus alors qu'à prendre notre retraite, en laissant derrière nous une grande oeuvre dont le coeur continuerait à battre au milieu de ce comté. Nous étions persuadés que notre vie serait ainsi bien remplie.

Voilà, c'était notre rêve. À l'époque, je ne connaissais pas le principe énoncé par Alfred North Whitehead: «Les grands hommes font plus que réaliser leurs rêves, ils les dépassent.» Je ne savais pas non plus que les grands rêves sont inspirés par Dieu, ni que Dieu rêve toujours plus grand que nous. Pas difficile d'ailleurs, car nous sommes prudents malgré que nous recherchions la stimulation. C'est pourquoi nous nous gardons bien de rêver trop grand, de faire des rêves téméraires. Nous faisons de petits rêves parce que nous ne savons pas que les rêves de Dieu sont de grands rêves.

Quelle est notre situation aujourd'hui, vingt ans plus tard? Eh bien, nous avons réussi. Et quand on réussit, savez-vous ce qui arrive? Quand on réussit, les petits problèmes se changent en gros problèmes.

Quand nous sommes arrivés ici, nous voulions un sanctuaire qui pourrait asseoir 2 000 personnes; ainsi, à raison de plusieurs services, nous pourrions servir nos 6 000 membres. L'an passé, après avoir examiné la courbe de croissance, nous avons fait des projections. Mais j'ai tourné le dos à ces projections, car la seule solution à notre problème était la construction d'une plus grande église, et je ne voulais pas me remettre à bâtir.

J'ai 48 ans et j'ai l'impression d'avoir bâti pendant vingt ans. Sans compter que j'aime notre sanctuaire actuel. Je l'ai conçu avec le défunt Richard Neutra, et si l'on considère sa tour adjacente, c'est la plus belle église du monde où l'on peut assister à l'office religieux tant à l'intérieur qu'à l'extérieur. Un jour, cette église sera un monument historique. Et Richard Neutra a dit d'elle que c'était son chef-d'oeuvre.

Savez-vous que cette église est la seule dont on voit une photographie en Russie? En effet, les Russes ont choisi notre église pour figurer dans leur livre sur la grande architecture de notre siècle, ce qui lui donne un statut

international. Ce que je bâtis *doit* être excellent.

Quand je fréquentais le Hope College, j'ai appris le principe suivant: «Ne cherchez pas à réaliser seulement des grandes choses car beaucoup de gens en font autant. Visez l'excellence! L'excellence produit l'enthousiasme. L'enthousiasme à son tour engendre l'énergie. L'énergie crée le mouvement. Et le mouvement fait les événements.»

L'an passé, je me rendis à l'évidence qu'il nous fallait un nouvel édifice, mais je ne voulais pas y penser à cause du coût de cette entreprise. Je savais que nous n'avions pas l'argent nécessaire. Mais cette pensée était typiquement négative.

Depuis, je me suis attaqué à ce problème. Le conseil de notre église a décidé, à l'unanimité, qu'il fallait coûte que coûte y trouver une solution. Actuellement, nous sommes en contact avec trois des plus brillants architectes du monde entier. Tous les trois sont intéressés au projet de construction d'un nouvel auditorium qui sera érigé sur le terrain situé au nord de la tour. Ce nouvel édifice sera si beau que dans 100 ans d'ici, les fidèles y seront encore attirés. Il nous permettra aussi de rejoindre des gens de notre territoire et de notre paroisse qui ne viennent jamais à l'église.

Depuis le 1er janvier 1975, je suis au pupitre chaque matin, et il ne s'est pas passé un dimanche sans que je voie des gens quitter les lieux, soit parce qu'ils avaient trop froid dehors ou parce qu'ils étaient trop fatigués de rester debout dans l'allée. J'ai seulement 48 ans et je compte rester ici encore vingt ans; on a donc décidé de bâtir. Après tout, on a seulement besoin de $5 millions... Moins les quelques centaines de milliers de dollars que nous avons en banque actuellement.

Je ne crois pas que cela soit un gros problème. Si j'avais le cancer du cerveau, alors j'appellerais ça un problème. En plus, je voudrais vous annoncer que nous allons recevoir un cadeau de $1 million. N'est-ce pas merveilleux, ça? Je dois m'empresser de dire que je ne sais pas qui va nous faire ce don. Mais il s'en vient! Je le vois! Exactement comme je vois l'ampleur de notre «problème». *Et chaque fois qu'on a un gros problème, on est sur le point de voir un miracle se produire.*

Il y a dix-neuf ans de cela, me tenant debout sur le toit goudronné et collant du casse-croûte du cinéma Orange Drive-In, je m'adressais aux gens en ces termes: «Nous bâtirons une tour de l'espoir. Elle coûtera au moins $1 million. Nous aurons bientôt cette somme. Je ne sais pas d'où elle viendra, mais elle s'en vient. Dans cette future tour, il y aura plein de gens qui viendront prier pour leurs semblables à chaque minute de chaque heure de chaque jour et de chaque nuit. Nous n'avons pas d'argent actuellement, mais Dieu n'est pas pauvre. Il aime prodiguer ses largesses à ses enfants, mais pas à ceux qui ont des petits projets. Il ne les prodigue qu'à ceux qui pensent grand et Dieu sait si je pense grand!»

IV

À gros problème,
grand miracle!

De grandes choses vous arrive-
ront lorsque vous commencerez à
vous abreuver à la source d'énergie
divine. De grands miracles! Je ne
peux pas vous dire comment ces
miracles se produiront, mais je
peux vous assurer qu'ils vont se
produire!

Quand on pense comme cela, on
devient chargé d'énergie parce que,
voyez-vous, si on est fatigué, c'est

qu'on n'a ni rêve, ni projet. Et si l'on n'a pas de projet, c'est qu'on est trop prudent. On ne veut pas s'engager. On ne veut pas prendre de risques. On ne veut pas risquer d'avoir un échec. On serait si humilié d'avoir à admettre un jour

qu'on s'est trompé. Alors, au lieu de penser grand et d'agir en conséquence, on se tient sur ses gardes et, ainsi, on devient terne. Mais moi je vous jure que vous ne rencontrerez jamais un homme à la pensée créatrice qui soit terne et ennuyant! Donc, si certaines gens sont morts et s'ils manquent d'énergie, c'est parce qu'ils ne voient pas grand.

Il y a aussi ceux qui s'approchent assez près de Dieu pour recevoir ses inspirations, mais qui n'osent pas les mettre en pratique. Or, la procrastination engendre la fatigue. L'indécision engendre les plus grandes fatigues émotionnelles.

Plus le problème est de taille, plus le miracle est grand. On ne sait pas ce que Dieu nous réserve comme rôle quand il prépare son miracle, mais on peut être certain qu'on aura plein d'énergie pour faire *sa* volonté. Alors, allez-y! Pensez à un de vos problèmes ou au problème de quelqu'un que vous connaissez. Si possible, choisissez un problème qui, d'un point de vue humain, est aussi difficile à résoudre qu'une montagne à bouger. Ensuite, priez comme ceci: «Oh Dieu! merci de m'avoir donné ce problème. Beaucoup de bien peut en découler. Merci, ô mon Dieu, car ce qui est impossible à l'homme est possible pour *toi*. Je te remercie des miracles que tu prépares. O mon Dieu, merci de la foi que tu me donnes actuellement.»

Priez. Demandez l'inspiration

divine. Vous verrez: un rêve naîtra en vous. Comme le rêve de mon église. Je rêve de bâtir cette belle église afin de continuer à exercer mon ministère pendant les vingt prochaines années. Trouvez votre propre rêve. Quand vous le connaîtrez et que vous saurez que c'est la volonté de Dieu, alors foncez!

Parlez-en avec audace. N'ayez pas peur de dire que c'est Dieu qui vous a sauvé. Annoncez votre miracle au monde entier. Que votre foi soit vivante! Témoignez ainsi qu'il vaut mieux subir un échec que d'avoir peur de penser grand, de croire en Dieu et de faire quelque chose de merveilleux pour *lui*.

Rêvez d'abord, puis ayez du courage et de l'audace. Ensuite, prenez votre décision. Croyez-moi: beaucoup de gens sont fatigués parce qu'il n'y a aucun rêve dans leur vie, ils n'ont d'enthousiasme pour rien. Ils n'ont d'enthousiasme pour rien parce qu'ils fuient constamment leurs problèmes et les problèmes d'autrui, parce qu'ils ne veulent pas s'engager, parce qu'ils ne veulent pas faire le moindre sacrifice, parce qu'ils ne veulent pas casser leur égoïsme et parce qu'ils ne veulent pas donner. Alors, devenant trop prudents et n'osant rien entreprendre, non seulement leur vie n'a aucun sens mais leur mort même ne dérange rien ni personne. La vie est bien vite passée et seul ce qui est fait pour le Christ va rester.

Certaines gens sont fatigués parce qu'ils n'entretiennent aucun rêve, et s'ils n'ont pas de rêve, c'est parce qu'ils fuient les problèmes. D'autres ont des rêves mais ils n'osent pas prendre la décision de tout mettre en oeuvre pour les réaliser. L'indécision est un grand facteur de fatigue. Décidez d'aller jusqu'au bout de vous-même et vous serez étonné de l'énergie qui vous transportera.

C'est William James qui a dit: «Vous avez d'énormes pouvoirs que vous n'utilisez pas et que vous n'utiliserez peut-être jamais parce que, comme la plupart des gens, vous ne vous rendez pas au bout de votre premier souffle; ainsi, vous ne pouvez jamais savoir si vous en avez un second.»

Par ma relation avec Jésus-Christ, j'ai découvert la source d'une énergie incommensurable. C'est *lui* qui donne *sa* force à mon âme, par l'intermédiaire du Saint-Esprit. Saint Paul disait: *Je suis tout en celui qui me rend fort.* (Ph

4;13.) Au plan physique, cette affirmation est vraie en tous points.

Devenez un authentique chrétien aujourd'hui même! Demandez à Jésus-Christ d'être votre sauveur, votre Dieu et votre ami. Et attendez-vous à recevoir des réserves d'énergie qui dureront toute votre vie!

Découvrez le courage d'affronter l'avenir!

De quoi demain sera-t-il fait ? Où trouve-t-on le courage d'affronter les lendemains sombres et incertains ? Il existe une source de courage qui vous aidera à envisager l'avenir avec sérénité. De l'autre côté de la médaille du courage, il y a l'amour. Quand on découvre l'amour, chaque jour nous fait découvrir un nouvel espoir et de grandes possibilités. Enfin, **Découvrez le courage d'affronter l'avenir !**

Collection découverte

2,50$

En vente chez votre libraire

Les Éditions «Un Monde Différent» Ltée
1875 Panama, Local B
Brossard, Québec, Canada.
J4W 2S8

L'enthousiasme fait la différence

Dans son nouveau livre, le docteur Peale s'attache aux problèmes d'aujourd'hui et propose des solutions étonnantes et pratiques pour y remédier. Il démontre que l'enthousiasme est l'ingrédient magique de la recette du succès et il explique:

Comment l'enthousiasme affine votre intelligence et accroît vos capacités de résoudre les problèmes - Comment l'enthousiasme fait naître la motivation puissante qui provoque les événements - Comment l'enthousiasme développe et entretient la qualité de détermination qui vous aide à surmonter la peur et vous donne de l'assurance.

L'enthousiasme est l'ingrédient magique qui vous permettra: de convaincre les autres - de surmonter vos peurs - de réduire vos tensions - d'analyser vos problèmes - de rendre votre travail plus intéressant.

$10,95

En vente chez votre libraire

Les Éditions «Un Monde Différent» Ltée
1875 Panama, Local B
Brossard, Québec, Canada.
J4W 2S8

10 jours vers une vie nouvelle

Ce livre contient de la dynamite! Il vous démontre comment quelques actions très simples, que vous aurez accomplies pendant une période de 10
jours, peuvent vous conduire vers une vie tout à fait exceptionnelle. Ces
actions déclencheront des forces insoupçonnées à l'intérieur de vous, des
forces nécessaires à une vie épanouie.

Le programme d'actions qui vous y est proposé peut transformer toute vie
à une vitesse incroyable et vous remettra les plus grandes récompenses au
monde: le bonheur, la réussite et l'épanouissement de vous-même.

$11,95

En vente chez votre libraire

Les Éditions «Un Monde Différent» Ltée
1875 Panama, Locai B
Brossard, Québec, Canada.
J4W 2S8

Découvrez la confiance en soi

Pourquoi n'y aurait-il que les autres à avoir
confiance en eux-mêmes. **Découvrez,** vous aussi, **la
confiance en vous.** Ce livre vous montre comment
l'acquérir, comment la conserver et comment
l'utiliser. Au moment même où vous lisez ces lignes,
il y a en vous plus de potentiel de confiance en vous
qu'il vous en faut pour réussir votre vie. Voici la clé
de votre coffre aux trésors ! Il n'en tient qu'à vous de
l'utiliser.

*Collection
découverte*

2,50$

En vente chez votre libraire

Les Éditions «Un Monde Différent» Ltée
1875 Panama, Local B
Brossard, Québec, Canada.
J4W 2S8

Achevé d'imprimer
en janvier mil neuf cent quatre-vingt-trois
sur les presses de l'Imprimerie Gagné Ltée
Louiseville - Montréal.
Imprimé au Canada